HSK 分频词汇

Frequency-based HSK Vocabulary

编制：曼达瑞语言学校

主编：杨　莹

编者：吴晓华　刘钰涵　姚　萍　杨　晗

First Edition 2016
Second Printing 2016

ISBN 978-7-5138-1009-8

Published by Sinolingua Co., Ltd
24 Baiwanzhuang Road, Beijing 100037, China
Tel: (86) 10-68320585 68997826
Fax: (86) 10-68997826 68326333
http://www.sinolingua.com.cn
E-mail: hyjx@sinolingua.com.cn
Facebook: www.facebook.com/sinolingua
Printed by Beijing Jinghua Hucais Printing Co., Ltd

Printed in the People's Republic of China

前言

为了帮助考生顺利通过新汉语水平考试（HSK），提高汉语词汇水平，我们根据《新汉语水平考试大纲》和历次新汉语水平考试真题，有针对性地策划了“HSK 分频词汇”系列图书。

“HSK 分频词汇”系列包含 1-3 级、4 级、5 级和 6 级四册，每册均有汉英、汉法、汉西、汉俄、汉阿、汉日、汉韩、汉泰 8 个语种版本。本系列以历次新汉语水平考试真题词汇出现频率为依据，共收录全部大纲词汇 5000 个。这些词汇通过电脑分频准确地统计出出现次数，并按照其出现的高低频次进行编排，便于考生确定科学合理的记忆顺序，从而快捷高效地掌握核心词汇。作为一套考试词汇用书，本系列图书具有以下几个方面的特点：

1. 电脑科学分频，记忆顺序合理。本系列图书打破了按字母顺序罗列大纲词汇的传统做法，采用历次真题单词出现的频率作为统计依据，对历次真题中出现的词汇进行精确统计和分析，按照词频高低进行排列，为考生在记忆词汇过程中时间上的分配和记忆顺序提供了科学依据。

2. 汉字、拼音、词性、释义布局合理。本系列图书对每条词汇下的各项内容进行精心布局，更符合学生记忆、背诵需要，无需借用外物遮挡释义记忆中文词汇，遮挡拼音记忆汉字。

3.例句贴近真题，科学、实用。每个词汇有1-2个例句，均贴近真题语言，可以帮助考生适应真题，了解真题考点，将词汇的记忆与考试科学地结合起来。

值得一提的是，超高频和高频词汇固然重要，但还有很多真题中仍未出现的“零频”大纲词汇需要考生注意，将来的试题很可能会特殊“关照”一下这类词汇。

本系列图书对于多音字词和同形字词，均按照其在新汉语水平考试大纲中的编排设计，考生不必为这些特殊词汇烦恼。

最后，祝愿所有考生能够借助本系列图书科学地记忆汉语词汇，顺利通过新汉语水平考试！

全球 HSK 策划大队

Preface

To help students enhance their Chinese vocabulary and pass the HSK test, we have planned and compiled the series "Frequency-based HSK Vocabulary" according to the *Chinese Proficiency Test Syllabus* as well as the test papers of the HSK examinations over the past years.

The series consists of four volumes, namely, Level 1-3, Level 4, Level 5 and Level 6. Each volume includes eight language versions: Chinese-English, Chinese-French, Chinese-Spanish, Chinese-Russian, Chinese-Arabic, Chinese-Japanese, Chinese-Korean and Chinese-Thai. The series includes all 5000 words and expressions required by the test syllabus based on their frequency of appearance in HSK examinations. With the assistance of computers, the words' exact number of appearances are counted according to which they are sequenced in the books. This will make it easier for the students to pick up the key words and expressions and study them in a more methodical and effective way. The series, as a set of vocabulary books tailored for the HSK examinations, has the following features:

● It breaks the traditional way of listing the syllabus vocabulary in alphabetical order by giving an accurate count and analysis to the words and expressions that have appeared in past HSK tests and sequencing them based on their frequency of appearance, in order to provide a methodical basis for students to allocate their time and highlight the emphases when it comes to mastering these vocabulary words.

● It provides a reasonable layout for Chinese characters, pinyin, part-of-speech and English explanations. These items under each vocabulary entry are meticulously designed so as to make it more convenient for students to memorize the new word; they don't need to use any objects to cover the English explanations while trying to memorize the vocabulary, nor do they have to cover the pinyin as they learn the Chinese characters.

● Practical sample sentences following closely the structure of those in real tests are provided. Each entry is accompanied by one or two sample sentences which are quite similar in language style to those in HSK examinations. Hence the students can easily adapt to the real test and obtain a deeper understanding of the key test points. In this sense, vocabulary memorization will directly yield good examination result.

It's worthy to mention that the "super-high frequency" and "high frequency" vocabulary words are admittedly of great importance, yet there are still many "zero-frequency" vocabulary words which are required by the test syllabus but have never appeared in HSK examinations before. Students should be alerted to these words, as it's likely that in future examinations, such words and expressions may become test points.

Furthermore, polysyllabic and polysemic words are arranged in the series in accordance with the *Chinese Proficiency Test Syllabus* so that students don't have to worry about these special words.

To sum it up, we hope the "Frequency-based HSK Vocabulary" series will help pave the way for students to master Chinese vocabulary and pass the HSK examinations.

Compilers

超高频词汇

生活 shēnghuó *n.*

life

❶ 生活的味道是酸、甜、苦、辣、咸的。
❷ 生活是什么？不同的人有不同的看法。

之 zhī *part. & pron.*

one of; of

❶ 爱情是最美好的情感之一。
❷ 失败是成功之母。

与 yǔ *prep. & conj.*

with; and

❶ 研究证明，女孩子们对衣服颜色的选择往往与她们的性格有关。
❷ 手机拉近了人与人之间的距离。

刚 gāng *adv.*

just

❶ 他刚下飞机。
❷ 不少人刚开始运动时，会感觉十分无聊。

活动 huódòng *n. & v.*

activity; do exercise

❶ “地球一小时”活动是从2007年开始的。
❷ 工作半天了，起来活动活动。

而 ér *conj.*

and, but

❶ 冬天北方比较干燥，而南方更湿润。

❷我们不应该为钱工作，而要让钱为我们工作。

超高频

获得 huòdé *v.*

gain, get

❶无论成功还是失败，努力过的人都应获得掌声。
❷要获得别人的尊重，必须先尊重别人。

坚持 jiānchí *v.*

insist

❶她每天都坚持写日记。
❷要想减肥成功，一定要坚持，不能怕累，否则很难有效果。

方面 fāngmiàn *n.*

aspect, field

❶我想问他几个法律方面的问题。
❷我觉得他各方面都很优秀。

发展 fāzhǎn *v. & n.*

develop; development

❶网上购物在中国的发展速度很快。
❷随着科学技术的发展，很多问题已经得到解决。

改变 gǎibiàn *v.*

change

❶他们不得不改变原来的计划。
❷习惯是不容易改变的。

计划 jìhuà *n.*

plan

❶我们的任务已经按计划全部完成了。
❷小张，你这份计划书写得不错，就按照

这个计划去做市场调查吧。

当 dāng *v. & prep.*

serve as; when

❶ 我从小就想当一名记者。
❷ 当机会到来时，千万不要放手。

方法 fāngfǎ *n.*

way, solution

❶ 教育孩子要使用正确的方法。
❷ 正确的减肥方法是按时吃饭，多运动。

经验 jīngyàn *n.*

experience

❶ 您能给我们介绍一下您的成功经验吗?
❷ 按照经验，人们往往认为夏天应该多穿白色衣服。

考虑 kǎolǜ *v.*

think over, consider

❶ 批评人的时候要考虑别人的感受。
❷ 这个问题我还要再考虑一下。

却 què *conj.*

but

❶ 虽然她俩是姐妹，性格却很不一样。
❷ 说话虽然是生活中最普通的事，却并不简单。

使 shǐ *v.*

make, let

❶ 在中国生活的三年使他在音乐方面有了很多新的想法。
❷ 红色会让人变得热情，使人兴奋。

超高频

往往 wǎngwǎng *adv.*

often

❶研究证明，女孩子们对衣服颜色的选择往往与她们的性格有关。
❷经常被鼓励的孩子往往更有信心。

许多 xǔduō *num.*

many

❶她出了许多汗。
❷许多家饭店的年收入都超过了亿元。

租 zū *v.*

rent

❶马上就要毕业了，你准备在学校附近租房子吗？
❷我现在租的这个房子有点儿吵，我想重新找个房子。

最好 zuìhǎo *adv.*

had better

❶你最好别告诉他答案。
❷最好不要直接拒绝别人的邀请。

失败 shībài *n.*

failure

❶失败是成功之母。
❷年轻有很多好处，而最大的好处是可以不怕失败。

材料 cáiliào *n.*

document, material

❶小王，这份材料明天早上就要用，请你翻译一下。
❷他们的筷子用不同的材料做成，颜色也都不一样。

高频词汇

交流 jiāoliú *v.* communicate

❶ 语言是人们表达看法、交流感情的工具。

❷ 人与人之间需要交流。

情况 qíngkuàng *n.* situation

❶ 一般情况下，完全适应一个新的工作需要一年时间。

❷ 人们在没有压力的情况下，往往不想工作。

适合 shìhé *v.* fit, suit

❶ 秋天的北京是最漂亮的，天气很好，十分适合旅游。

❷ 您皮肤好，这几个颜色的衣服都适合您。

知识 zhīshi *n.* knowledge

❶ 这个节目我一直在看，它介绍了很多生活中的小知识。

❷ 这些语法知识太难了。

减肥 jiǎnféi *v.* lose weight

❶ 想减肥就要坚持！

❷ 减肥不只是为了瘦，更是为了健康。

结果　jiéguǒ　*n. & conj.*

result; as a result

❶ 你们今天讨论得怎么样？有结果吗？
❷ 现在很多人做事情的时候只是想着结果，从来都不关心过程。

联系　liánxì　*v.*

contact

❶ 您有什么特别要求或任何不清楚的地方欢迎和我们联系。
❷ 邀请别人吃饭，至少要提前一天联系。

留　liú　*v.*

stay, leave behind

❶ 很多大学生毕业后希望留在大城市工作。
❷ 第一印象是指在第一次见面时给别人留下的印象。

能力　nénglì　*n.*

ability

❶ 阅读能力好的人不但容易找到工作，而且工资也比较高。
❷ 有能力的人可以把复杂的事情变简单，而没能力的人却经常把简单的事情变复杂。

心情　xīnqíng　*n.*

mood, feeling

❶ 狗是一种聪明的动物，它能听懂人的话，明白人的心情。
❷ 科学研究证明，颜色会影响人的心情，不同的颜色会给人带来不同的感情变化。

取 qǔ *v.*

take, get

❶ 您好，我是谢教授的学生，他让我过来取材料。
❷ 如果方法错了，不管你怎么努力，也很难取得成功。

挺 tǐng *adv.*

quite

❶ 我挺喜欢现在住的地方，很安静。
❷ 今天天气不错，挺凉快的，我们去公园走走？

直接 zhíjiē *adj.*

direct

❶ 管理者在解决问题时，一定要选择最直接、最有效的方法。
❷ 舞会上最好不要直接拒绝别人的邀请。

植物 zhíwù *n.*

plant, vegetation

❶ 海洋里的植物很少。
❷ 由于气候条件不同，世界各地植物叶子的样子也很不相同。

专业 zhuānyè *n.*

specialty, major, specialized field

❶ 职业和专业并没有太大关系。
❷ 一般来说，专业游泳馆的水温在 22 度到 26 度之间。

通过 tōngguò *prep. & v.*

through; pass

❶ 通过收入水平可以了解一个地方的经济情况。
❷ 我的留学申请通过了。

消息 xiāoxi *n.*

news, information

❶ 这个消息让他非常激动。

❷ 对记者来说，获得及时准确的消息极其重要。

阳光 yángguāng *n. & adj.*

sunshine; sunny

❶ 我喜欢阳光，因为阳光给了万物生命。

❷ 喜欢穿白色衣服的女孩子们性格比较阳光，生活态度积极向上是她们的共同特点。

因此 yīncǐ *conj. & adv.*

thus; consequently

❶ 中国南北距离约5500公里，因此南北气候有很大区别。

❷ 我们每个人都有责任保护环境，因此，大家要节约使用塑料袋。

不过 búguò *conj.*

but

❶ 不过可惜的是，南方很多地方冬天都看不到雪。

❷ 以前坐船需要几个月，现在乘坐飞机不过十几个小时。

成功 chénggōng *n.*

success

❶ 失败是成功之母。

❷ 成功的语言学习者，在学习方面往往都是积极主动的。

份 fèn *m.w.*

(measure word for gifts, newspapers, magazines, papers, reports, contracts, etc.)

❶ 小张，你这份计划书写得不错。

❷ 请把那张表格打印两份。

各 gè *pron.*

each

❶ 我觉得他各方面都很优秀。

❷ 人们的性格各不相同。

紧张 jǐnzhāng *adj.*

nervous

❶ 弟弟紧张得出了一身汗。

❷ 第一次跟女朋友见面的时候，他紧张极了。

肯定 kěndìng *adv.*

surely, certainly, definitly

❶ 你复习那么长时间了，肯定没问题。

❷ 世界上有一种药是肯定买不到的，那就是"后悔药"。

辣 là *adj.*

hot, spicy

❶ 生活的味道是酸、甜、苦、辣、咸的。

❷ 这是我同事上午送我的辣白菜。

流行 liúxíng *adj.*

popular

❶ 有不少人都喜欢按照流行的标准来穿衣服，打扮自己。

❷ 那是当时最流行的音乐。

高频

缺点 quedian *n.*

shortcoming

❶我们都有缺点，不可能把每件事都做得很好。
❷我们可以从失败中发现自己的缺点。

停 tíng *v.*

stop

❶入口处不允许停车。
❷雨越下越大，一点儿要停的意思都没有。

幸福 xìngfú *adj. & n.*

happy; happiness

❶新婚快乐！祝你和小马生活幸福，白头到老！
❷幸福是件很简单的事情。

语言 yǔyán *n.*

language

❶语法是语言学习中很重要的一部分。
❷许多民族都有自己的语言和文字。

原因 yuányīn *n.*

reason

❶由于种种原因，她没能当上警察。
❷“三不知”是指不知道一件事情发生的原因、经过和结果。

尊重 zūnzhòng *v. & n.*

respect; respect

❶要获得别人的尊重，必须先尊重别人。
❷浪费是一种不好的生活习惯，不尊重别人，也不尊重自己。

毕业 bìyè *v. & n.*

graduate from; graduation

❶他大学毕业后成了一名优秀的律师。
❷很多大学生毕业后希望留在大城市工作。

教育 jiàoyù *n. & v.*

education; educate

❶阅读考试的分数往往还能反映一个国家的教育水平。
❷教育孩子要使用正确的方法。

苦 kǔ *adj.*

bitter

❶回忆过去，有苦也有甜，有伤心、难过，也有幸福、愉快。
❷你忘记放糖了吗？这杯咖啡怎么这么苦？

理解 lǐjiě *v. & n.*

understand; understanding

❶实际工作能让我更理解书本上的知识。
❷握手也是一种交流，可以加深理解和信任。

缺少 quēshǎo *v.*

be lack of

❶生活中不能缺少理想。
❷误会往往是在缺少调查、没听别人解释的情况下发生的。

沙发 shāfā *n.*

sofa

❶他坐在沙发上看杂志。
❷他们把沙发抬到外面去了。

收 shōu *v.*

collect, receive

❶你叔叔刚打电话来说给你发了个电子邮件，让你查收。
❷收到我寄给你的礼物了吗？

熟悉 shúxī *adj. & v.*

familiar; be familiar with

❶她喜欢给熟悉的人讲笑话。
❷那位出租车师傅对这儿非常熟悉。

笑话 xiàohua *n.*

joke

❶他讲的笑话真有意思。
❷讲笑话也是一门艺术，能不能使人发笑是笑话讲得好坏的主要标准。

性格 xìnggé *n.*

temperament, character

❶姐妹俩性格差不多。
❷我弟弟的性格比较活泼。

压力 yālì *n.*

stress, pressure

❶散步能让人减轻压力，变得轻松起来。
❷当我感觉压力大时，我会去打打羽毛球或者篮球。

支持 zhīchí *v. & n.*

support; support

❶大部分人支持环保活动。
❷谢谢大家这一年来对我的支持和帮助。

值得 zhídé *v.*

be worth

❶这个项目有很多经验值得我们总结。
❷这本书写得不错，值得一读。

作用 zuòyòng *n.*

effect, function

❶森林对环境有很好的保护作用。
❷现在网上银行的作用越来越大。

感觉 gǎnjué *v. & n.*

feel; feeling

❶走在海边，感觉很凉快。
❷这个月的任务完成了，感觉轻松多了。

鼓励 gǔlì *v.*

encourage

❶在教育孩子时，我们应该少批评，多鼓励。
❷鼓励竞争能推动经济发展。

空气 kōngqì *n.*

air

❶下雨后空气很湿润。
❷那儿的空气很干燥。

困难 kùnnan *adj. & n.*

difficult; dfficulty

❶第一印象并不总是正确的，但改变起来却很困难。
❷年轻人多经历一些困难并不是坏事。

俩 liǎ *num.*

two

❶他们俩经常聊天。

❷姐妹俩性格差不多。

麻烦 máfan *n. & adj.*

trouble; inconvenient

❶老黄是个非常热情的人，从来不怕麻烦。
❷网上购物比较麻烦。

年龄 niánlíng *n.*

age

❶成功是不会受到年龄限制的。
❷有人认为，年龄越大，人就越成熟。

篇 piān *m.w.*

(measure word for article, passage, etc.)

❶李教授，这几篇文章您什么时候要？
❷那篇文章写得很精彩。

任务 rènwu *n.*

mission, task

❶我想把这个任务交给小李，您看合适不合适？
❷我们的任务已经按计划全部完成了。

扔 rēng *v.*

throw

❶把香蕉皮扔到垃圾桶里去，以后别随便扔东西。
❷你要学会像扔垃圾一样把烦恼扔掉。

顺利 shùnlì *adj.*

smooth, without a hitch

❶祝你们这次访问一切顺利。
❷没有人能一生都顺顺利利，没有失败。

愉快 yúkuài *adj.*

happy

❶ 这是我们超市送您的环保购物袋，祝您购物愉快。
❷ 他们俩聊得很愉快。

招聘 zhāopìn *v. & n.*

recruit; recruitment

❶ 银行决定招聘一名高级主管。
❷ 明天上午有个招聘会，你去吗？

只要 zhǐyào *conj.*

as long as

❶ 其实，只要我们按照自己的想法去做了，就没什么后悔的。
❷ 只要自己做得正确，最后自然会得到别人的支持与信任。

质量 zhìliàng *n.*

quality

❶ 有的时候，质量很好的东西也会很便宜。
❷ 网上商店不一定能保证东西的质量。

放弃 fàngqì *v.*

give up

❶ 昨天的放弃决定了今天的选择，今天的选择决定了明天的生活。
❷ 不到最后一刻，千万别放弃。

号码 hàomǎ *n.*

number

❶ 你们公司的传真号码是多少？
❷ 她把电话号码记在笔记本上了。

教授 jiàoshòu *n.* professor

❶张教授对学生要求很严格。
❷教授竟然把这次机会放弃了。

可是 kěshì *conj.* but

❶我记得上次关教授把他的手机号码给我了，可是不知道写哪儿了。
❷老张和司机约好每天早上七点来接老张上班，可是司机经常迟到。

高频

理想 lǐxiǎng *n.* ideal, dream

❶我的理想就是做一个像父亲那样的医生。
❷生活中不能缺少理想。有理想的人知道自己前进的方向。

气候 qìhòu *n.* climate

❶你觉得北方和南方在气候上有什么区别？
❷我还不习惯北方的气候，估计是天气太干燥。

通知 tōngzhī *v. & n.* inform; notice

❶小张，原定后天上午的会改在明天下午两点了，你通知一下其他人。
❷我刚刚接到通知，明天要出差，恐怕没时间和您见面了。

完全 wánquán *adv.* totally

❶一般情况下，完全适应一个新

的工作需要一年时间。
❷他们俩的看法完全相反。

演出 yǎnchū *n.*

performance

❶你去看吧，听说这次演出邀请了许多著名的演员，很精彩的。
❷周末的演出改到晚上 7 点了，你通知小王了没有？

邀请 yāoqǐng *n. & v.*

invitation; invite

❶舞会上最好不要直接拒绝别人的邀请。
❷她邀请我一块儿去打网球。

出发 chūfā *v.*

set out

❶如果顺利的话，下个月就可以出发了。
❷我们八点钟在四零六教室集合，八点半准时出发。

观众 guānzhòng *n.*

audience

❶各位观众，大家晚上好。
❷观众们都站起来为他鼓掌。

过程 guòchéng *n.*

process

❶生、老、病、死是一个极其自然的过程。
❷参观过程中请大家注意安全。

加班 jiābān *v.*

work overtime

❶小王今天要加班。

❷ 真抱歉，明天我得加班，不能陪你去购物了。

接受 jiēshòu *v.*

accept

❶ 他们喜欢向前看，也容易接受新鲜事情。
❷ 改变能改变的，接受不能改变的。

解释 jiěshì *v.*

explain

❶ 有些事情是科学无法解释的。
❷ 失败的时候，不要先忙着为自己解释。

经济 jīngjì *n.*

economy

❶ 亚洲经济的增长速度正在逐渐提高。
❷ 判断经济水平不能光看收入。

拒绝 jùjué *v.*

refuse

❶ 舞会上最好不要直接拒绝别人的邀请。
❷ 有能力的人往往会拒绝别人的帮助。

生意 shēngyi *n.*

business

❶ 那家饭馆儿的生意很好。
❷ 他这些年做生意赚了不少钱。

提前 tíqián *v.*

do sth. in advance

❶ 下一站就要到了，请下车的乘客提前做好准备。
❷ 邀请别人吃饭，至少要提前一天联系。

温度 wēndù *n.*

temperature

❶ 南方很多地方的冬天一点儿也不冷，温度跟北方春天差不多。

❷ 山上的温度会随着高度的增加而降低，山越高气温越低。

详细 xiángxì *adj.*

detailed

❶ 我们回去就开会讨论，星期五之前把详细的计划书发给您。

❷ 这个传真机的说明书写得很详细。

咱们 zánmen *pron.*

we, us

❶ 咱们去公园吧！

❷ 我在咱们床底下找到一百块钱。

重视 zhòngshì *v.*

attach importance to sth., value

❶ 我觉得要重视平时的积累，要多向周围的人学习。

❷ 更值得我们重视和尊重的，正是实际生活中简单的爱情。

座位 zuòwèi *n.*

seat

❶ 你好，我想要一个窗户旁边的座位，还有吗？

❷ 这儿的座位恐怕不够吧？要不要换到旁边的那个教室？

遍 biàn *m.w. & v.*

time; all over

❶ 一个简单的动作，教练让我们练二三十遍。

❷他去了亚洲许多国家，尝遍了各地的美食。

导游 dǎoyóu *n.*

tour guide

❶我姓李，是各位的导游。
❷你能帮我请一个当地的导游吗？

底 dǐ *n.*

bottom, end of a year or month

❶河水清澈见底。
❷我 7 月底去北京出差。

发生 fāshēng *v.*

happen

❶笔记本电脑使人们的生活发生了很大的变化。
❷不管遇到什么问题，发生什么事情，都要好好爱自己。

法律 fǎlǜ *n.*

law

❶这么做完全符合国家的法律规定。
❷那个法律节目很受欢迎。

丰富 fēngfù *v. & adj.*

enrich; rich

❶互联网极大地丰富了现代人的精神生活。
❷他经验比较丰富，并且做事认真。

复杂 fùzá *adj.*

complicated

❶西红柿鸡蛋汤的做法很简单，一点儿也不复杂。
❷密码不能太复杂，不过也不能太简单，

高频

否则不安全。

够 gòu *adj.* enough

❶只记字典、词典里的字、词是不够的，要多听多说。
❷爱情确实是结婚的重要原因，但仅有爱情是不够的。

光 guāng *adv.* only

❶没算错，光买沙发和冰箱就花了四千多。
❷树上的叶子已经掉光了。

广告 guǎnggào *n.* advertisement

❶如果想赚钱，就必须扩大市场，而广告是最有效的方法。
❷我喜欢读这份报纸，因为它的内容丰富，而且广告少。

看法 kànfǎ *n.* opinion

❶生活是什么？不同的人有不同的看法。
❷语言是人们表达看法、交流感情的工具。

浪漫 làngmàn *adj.* romantic

❶喜欢红色衣服的女孩子们性格比较浪漫。
❷真正的爱情不需要浪漫。

批评 pīpíng *n. & v.* criticism; criticize

❶在教育孩子的过程

中，父母的鼓励比批评更重要。
❷批评人的时候要考虑用正确的方法。

使用 shǐyòng *v.*

use

❶医生提醒人们，在使用感冒药之前，一定要仔细阅读说明书。
❷新闻报道中使用数字的目的是通过它们来说明问题。

误会 wùhuì *n. & v.*

misunderstanding; misunderstand

❶他们俩之间有一些误会。
❷看起来，这件事确实是我误会他了。

效果 xiàoguǒ *n.*

effect, result

❶打针比吃药效果好。
❷咱家的冰箱太旧了，制冷效果不好，我想买个新的。

意见 yìjiàn *n.*

opinion

❶以上是这次活动的计划，看看大家还有什么意见。
❷爷爷想听听马大夫的意见。

脏 zāng *adj.*

dirty

❶不试了，白色的容易脏，还是黑色的好。
❷衣服脏了，脱下来洗洗吧。

总结 zǒngjié *v.*

❶ 老人总是喜欢往回看，回忆、summarize 总结自己过去的经历。

❷ 我们可以从失败中总结出有用的经验。

高频

中频词汇

大夫 dàifu *n.*

doctor

❶ 爷爷想听听马大夫的意见。
❷ 我前几天耳朵一直不太舒服，所以昨天请了个假，去看大夫了。

好处 hǎochu *n.*

benefit, advantage

❶ 年轻有很多好处，而最大的好处是可以不怕失败。
❷ 听听流行音乐对老年人也是很有好处的。

合适 héshì *adj.*

suitable, fitting

❶ 你试一下，看看合适不合适。
❷ 帮我看看，我穿哪条裙子合适？

积累 jīlěi *n. & v.*

accumulation; accumulate

❶ 我觉得要重视平时的积累，要多向周围的人学习。
❷ 在这儿我学到了很多知识，也积累了很多经验，希望将来还能有机会和大家一起学习。

记者 jìzhě *n.*

reporter, journalist

❶ 记者是我最喜欢的职业，我从小就想当一名记者。
❷ 我是校报的记者，发过一些新闻报道。

将来 jiānglái *n.*

future

❶ 将来会发生什么事情，谁也猜不到。
❷ 将来的路还很长，只要不放弃，完全有机会重新再来。

交通 jiāotōng *n.*

transportation

❶ 这段时间来丽江的话，无论交通还是吃、住都是最便宜的。
❷ 飞机被认为是最安全的交通工具。

恐怕 kǒngpà *v. & adv.*

be afraid; probably

❶ 明天要出差，恐怕没时间和您见面了。
❷ 只剩下十五分钟，今天恐怕要迟到了。

签证 qiānzhèng *n.*

visa

❶ 明天就要去使馆办签证了，邀请信竟然还没寄到，这可怎么办?
❷ 我现在去大使馆办签证。

十分 shífēn *adv.*

very, extremely

❶ 秋天的北京是最漂亮的，天气很好，十分适合旅游。
❷ 那个消息让他十分吃惊。

适应 shìyìng *v.*

adapt to

❶ 一般情况下，完全适应一个新的工作需要一年时间。
❷ 不要总是想着去改变你身边的人，要学会去适应别人。

收入 shōurù *n.*

income

❶ 许多家饭店的年收入都超过了亿元。

❷ 通过收入水平可以了解一个地方的经济情况。

说明 shuōmíng *n. & v.*

explanation, instruction; explain

❶ 请严格按照说明服药。

❷ 新闻报道中使用数字的目的是通过它们来说明问题。

速度 sùdù *n.*

speed

❶ 亚洲经济的增长速度正在逐渐提高。

❷ 现在火车的速度非常快，有时乘坐火车甚至比乘坐飞机更节约时间。

态度 tàidù *n.*

attitude

❶ 喜欢穿白色衣服的女孩子们性格比较阳光，生活态度积极向上是她们的共同特点。

❷ 幽默是成功者的共同特点之一，也是值得现代人好好学习的一种生活态度。

特点 tèdiǎn *n.*

characteristic, feature

❶ 湖南菜的特点就是辣。

❷ “外号”是根据一个人的特点给他起的不太正式的名字，常常带有开玩笑的意思。

小说 xiǎoshuō *n.*

novel

❶ 那本小说的作者很有名。
❷ 这个小说讲的是一个普通警察的爱情故事。

信心 xìnxīn *n.*

confidence

❶ 年轻人最重要的是要对自己有信心。
❷ 经常被鼓励的孩子往往更有信心。

钥匙 yàoshi *n.*

key

❶ 钥匙在书包里。
❷ 儿子把行李箱的钥匙弄丢了。

幽默 yōumò *adj.*

humorous

❶ 他一点儿也不幽默，约会的时候真无聊。
❷ 幽默的人更容易交到朋友。

正好 zhènghǎo *adv.*

just

❶ 我跟你的看法正好相反。
❷ 我回家正好经过这里，就顺便拿来了。

表示 biǎoshì *v.*

express, show

❶ 我代表学校向同学们表示祝贺！
❷ 我们常用“一问三不知”来表示一个人什么都不知道。

差不多 chàbuduō *adv. & adj.*

almost; similar

❶ 爷爷差不多每个月都带我去看一次京剧。
❷ 姐妹俩性格差不多。

抽烟 chōuyān *v.*

smoke

❶ 请问，附近有可以抽烟的地方吗？
❷ 抽烟对身体没有好处。

打折 dǎzhé *v.*

give a discount

❶ 去年春天打折的时候我给他买了几件衣服。
❷ 春天，冬装就会打折，质量很好，也很便宜。

戴 dài *v.*

wear

❶ 出门时最好带上伞或者戴上帽子。
❷ 穿戴整齐表示你对面试官的尊重。

调查 diàochá *v.*

investigate

❶ 小张的调查结果写得很好。
❷ 这次调查发现，超过 70% 的儿童更愿意让爸爸给自己读书。

肚子 dùzi *n.*

belly, abdomen

❶ 打了一下午羽毛球，肚子有点儿饿了。
❷ 他觉得肚子有点儿难受。

父亲 fùqin *n.*

❶我父亲是医生，母亲是演员。 father
❷人一生最幸福的事情是有父亲母亲的爱和保护。

估计 gūjì *v.*

❶现在不堵车，估计二十分钟就能到。 estimate
❷咱公司附近估计没有太便宜的房子。

顾客 gùkè *n.*

❶这是一个关于顾客和售货员的笑话。 client, customer
❷每到换季或者节假日的时候，各大商场都会举办一些打折活动来吸引顾客。

挂 guà *v.*

❶他想把画挂在墙上。 hang
❷有些人经常把“明天”和“将来”挂在嘴边。

海洋 hǎiyáng *n.*

❶海洋里的植物很少。 ocean
❷海洋底部看起来非常安静。

好像 hǎoxiàng *v.*

❶这道数学题的答案好像错了。 seem, be like
❷快乐的人好像太阳，走到哪里，哪里就有阳光。

后悔 hòuhuǐ *v.*

regret

❶许多人都有过后悔的经历。
❷平时要注意锻炼，别等身体出问题了才后悔。

互相 hùxiāng *adv.*

each other, mutually

❶事情的原因和结果往往是互相联系的。
❷感冒时，最好只选择一种感冒药，否则药物之间可能互相作用，会影响我们的健康。

积极 jījí *adj.*

active, positive

❶成功的语言学习者，在学习方面往往都是积极主动的。
❷我希望有兴趣的同学积极报名参加。

及时 jíshí *adv. & adj.*

in time; timely

❶如果感冒了，要及时去医院。
❷对记者来说，获得及时准确的消息极其重要。

减少 jiǎnshǎo *v.*

reduce

❶白天要减少户外活动，出门时最好带上伞或者戴上帽子。
❷限制使用塑料袋是为了减少污染。

饺子 jiǎozi *n.*

dumpling

❶北方人爱吃饺子，因为饺子味道鲜美。

❷在中国，饺子深受大家喜爱。

进行 jìnxíng *v.*

conduct, proceed

❶同学们在超市进行了调查。
❷生活往往不会按照我们的计划来进行。

京剧 jīngjù *n.*

Beijing Opera

❶爷爷对京剧非常感兴趣。
❷京剧一直很受欢迎。

经历 jīnglì *v. & n.*

go through; experience

❶人都会经历失败。
❷许多人都有过后悔的经历。

精彩 jīngcǎi *adj.*

brilliant, splendid

❶那篇文章写得很精彩。
❷刚才的演出真的很精彩。

内容 nèiróng *n.*

content

❶我喜欢读这份报纸，因为它的内容丰富，而且广告少。
❷京剧的内容大多是历史故事。

内 nèi *n.*

inside, within

❶现在我们店内的衣服都打三折，您看看有什么需要的？
❷如果一个星期内发现有任何质量问题，我们都可以免费为您换。

陪 pél *v.*

accompany

❶ 昨天，妻子让我陪她去买一双鞋。
❷ 我打算陪叔叔去长城看看。

脾气 píqi *n.*

temper

❶ 王教授脾气很大。
❷ 很多时候孩子发脾气是为了得到一些好处。

破 pò *adj.*

broken, damaged

❶ 鸡蛋被打破了。
❷ 那个白色的盒子又脏又破。

轻松 qīngsōng *adj.*

relaxed

❶ 这个世界上最轻松的工作应该是当小孩子。
❷ 散步能让人减轻压力，变得轻松起来。

确实 quèshí *adv.*

indeed, really

❶ 科学技术的发展确实给生活带来了许多方便，但也给我们增加了不少烦恼。
❷ 小关的脾气有时候确实挺差的。

任何 rènhé *pron.*

any, whatever, whichever

❶ 您有什么特别要求或任何不清楚的地方欢迎和我们联系。
❷ 有了互联网，任何消息都可以在第一时间和全世界的人们直接交流。

伤心 shāngxīn *adj.*

sad, broken-hearted

❶ 她今天看上去很伤心。
❷ 每当我伤心难过的时候，他总是有办法让我高兴起来。

申请 shēnqǐng *v. & n.*

apply; application

❶ 因为要申请去国外留学，她最近特别忙。
❷ 张律师，这份申请材料要复印几份？

受到 shòudào *v.*

receive

❶ 小刘受到了表扬。
❷ 尊重别人的人，同样也会受到别人的尊重。

讨论 tǎolùn *n. & v.*

discussion; discuss

❶ 他说的问题超出了今天讨论的范围。
❷ 他们正在讨论那个计划。

提醒 tíxǐng *v. & n.*

remind; reminder

❶ 医生提醒人们，在使用感冒药之前，一定要仔细阅读说明书。
❷ 谢谢您的提醒，差点儿忘记了，我现在就打。

味道 wèidao *n.*

flavor, taste

❶ 生活的味道是酸、甜、苦、辣、咸的。
❷ 你尝一尝？味道很好。

文章 wénzhāng *n.*

article, essay

❶你要的那篇文章我已经翻译好了，你什么时候来取？
❷这篇文章主要谈中国教育。

无聊 wúliáo *adj.*

dull, boring

❶他一点儿也不幽默，约会的时候真无聊。
❷每个人都需要朋友，离开朋友，我们的生活肯定会非常无聊。

吸引 xīyǐn *v.*

attract

❶世界上第一部无声电影出现的时候，吸引了成千上万的观众。
❷每到换季或者节假日的时候，各大商场都会举办一些打折活动来吸引顾客。

中频

演员 yǎnyuán *n.*

actor, actress

❶听说这次演出邀请了许多著名的演员，很精彩的。
❷那位著名的演员深受观众的喜爱。

养成 yǎngchéng *v.*

form, foster

❶我从小就养成了写日记的习惯。
❷所有的习惯都是慢慢养成的。

赢 yíng *v.*

win

❶只有懂得放弃和学会选择的人，才能赢得精彩的生活。
❷在昨天的羽毛球男子双打比赛中，小马

和小张最后赢得了比赛。

真正 zhēnzhèng *adj.*

real, genuine

❶ 真正的爱情不需要浪漫。
❷ 是不是流行不重要，真正适合自己的才是最好的。

指 zhǐ *v.*

refer to, point to

❶ 第一印象是指在第一次见面时给别人留下的印象。
❷ 怎么走？你给我指一下路吧。

爱情 àiqíng *n.*

love (between man and woman)

❶ 真正的爱情不需要浪漫。
❷ 这个小说讲的是一个普通警察的爱情故事。

按时 ànshí *adv.*

on time

❶ 我保证按时完成任务。
❷ 飞机没按时起飞。

抱歉 bàoqiàn *adj.*

be sorry

❶ 实在抱歉，我来晚了。
❷ 很抱歉，等我回来以后再跟您联系。

表演 biǎoyǎn *v. & n.*

perform; performance

❶ 他是一位著名的演员。有一次，一个地方举行一个比赛，看谁表演得更像他。
❷ 你们的表演非常精彩！

不仅 bùjǐn *conj.*

not only

❶ 人不仅要看到自己的优点，也要了解自己的缺点。
❷ 不仅许多公司有网站，而且很多人都有自己的网站。

大概 dàgài *adv.*

approximately, probably

❶ 收入水平只能大概地反映当地的经济水平。
❷ 我的航班推迟了，我大概要中午一点才能到北京。

掉 diào *v.*

drop, fall

❶ 日记本掉桌子下面了。
❷ 树上的叶子已经掉光了。

丢 diū *v.*

lose

❶ 孩子说刚才不小心丢了十块钱。
❷ 儿子把行李箱的钥匙弄丢了。

对面 duìmiàn *n.*

opposite side

❶ 前面那儿有个银行，银行对面有一个小超市。
❷ 对面戴眼镜的那个人你认识吗?

烦恼 fánnǎo *n.*

trouble, annoyance

❶ 生活中总会有烦恼。
❷ 难过、无聊的人只能给人增加烦恼。

方向 fāngxiàng *n.*

direction

❶ 有理想的人知道自己前进的方向。

❷ 一般情况下，飞机起飞的方向是和风向相反的。

感情 gǎnqíng *n.*

emotion, feeling

❶ 世界上有三种感情：亲情、友情和爱情。

❷ 当地少数民族习惯用歌声来表达感情。

购物 gòuwù *v.*

go shopping

❶ 这是我们超市送您的环保购物袋，祝您购物愉快。

❷ 网上购物在中国的发展速度很快，并且范围和影响力也都在继续扩大。

逛 guàng *v.*

stroll, roam

❶ 妻子希望丈夫陪她逛街。

❷ 你应该和朋友聊聊天儿，逛逛商场，这样你很快就会好起来的。

汗 hàn *n.*

sweat

❶ 她出了许多汗。

❷ 弟弟紧张得出了一身汗。

即使 jíshǐ *conj.*

even though

❶ 在我们南方，即使冬天也很少下雪。

❷ 即使是完全不认识的路人，相互一笑也能拉近距离。

寄 jì *v.*

send, post

❶ 我准备给你寄几本书。
❷ 你帮我把这两本杂志今天就寄出去，这是地址。

价格 jiàgé *n.*

price

❶ 这台笔记本电脑的价格是 2500 元。
❷ 这个包样子很好看，价格也还可以。

节约 jiéyuē *v.*

save, economize

❶ 无论做什么事都要注意方法，正确的方法可以帮我们节约时间。
❷ 这使得我们养成了节约的习惯。

距离 jùlí *n.*

distance

❶ 中国南北距离约 5500 公里，因此南北气候有很大区别。
❷ 手机拉近了人与人之间的距离。

科学 kēxué *n.*

science

❶ 科学研究证明，颜色会影响人的心情。
❷ 有些事情是科学无法解释的。

免费 miǎnfèi *adj.*

free of charge

❶ 我们现在正举办免费试用活动。
❷ 火车上提供免费的饮料吗？

民族　mínzú　*n.*

ethnic group, nation

❶ 中国有56个民族。

❷ 每个民族都有不同的习惯和文化，许多民族都有自己的语言和文字。

弄　nòng　*v.*

do, make, get sb./sth. into a specified condition

❶ 我们都要弄清楚自己想要的是什么。

❷ 儿子把行李箱的钥匙弄丢了。

平时　píngshí　*n.*

normal times, usual days

❶ 我们年底有活动，正在打折，比平时便宜了一千块。

❷ 我觉得要重视平时的积累，要多向周围的人学习。

师傅　shīfu　*n.*

master

❶ 那位出租车师傅对这儿非常熟悉。

❷ 黄师傅对我们要求非常严格。

污染　wūrǎn　*n. & v.*

pollution; pollute

❶ 限制使用塑料袋是为了减少污染。

❷ "绿色食品"，就是指那些没有受到污染的、优质的、安全的食品。

相反　xiāngfǎn　*adj.*

opposite, contrary

❶ 他们俩的看法完全相反。

❷ 一般情况下，飞机起飞的方向是和风向相反的。

中频

艺术 yìshù *n.*

art

❶这次电影艺术节也许会在北京举行。
❷管理是一门艺术，只是批评不会有好的效果。

引起 yǐnqǐ *v.*

cause, arouse

❶这篇报道没有引起人们的关注。
❷事情的原因和结果往往是互相联系的。一定的原因会引起一定的结果。

杂志 zázhì *n.*

magazine

❶他坐在沙发上看杂志。
❷那家杂志社在招人。

增加 zēngjiā *v.*

increase

❶这个城市决定增加出租车的数量。
❷山上的温度会随着高度的增加而降低，山越高气温越低。

职业 zhíyè *n.*

profession

❶他的职业是演员。
❷职业和专业并没有太大关系。

并且 bìngqiě *conj.*

and, furthermore

❶它开的花比普通的花大很多，并且特别香。
❷地铁速度快，并且不会堵车。

场 chǎng *m.w.*

(mesure word for stage, scene, sporting or recreational activities, etc.)

❶ 遇到伤心事，哭一场（cháng）就会感觉心里舒服多了。
❷ 下星期首都体育馆有场羽毛球比赛。

诚实 chéngshí *adj.*

honest

❶ 他很诚实，从来不说假话。
❷ 他的优点是有礼貌，诚实，能吃苦。

激动 jīdòng *adj.*

excited

❶ 这个消息让他非常激动。
❷ 她母亲激动得哭了。

家具 jiājù *n.*

furniture

❶ 这房子家具全，电视、空调、冰箱都有并且都很新。
❷ 服务员把家具擦得很干净。

警察 jǐngchá *n.*

police

❶ 一个合格的警察最需要的是责任感。
❷ 她是我的同学，从小就想成为一名警察。

开玩笑 kāi wánxiào

play a joke

❶ 真的假的？你是在开玩笑骗我吧？
❷ 好几年没见，你还是这么爱开玩笑。

来不及 láibují

there's not enough time (to do sth.), it's too late (to do sth.)

❶快来不及了，我们打车过去吧?
❷都十点多了，恐怕来不及了。

来得及 láidejí

there's still time (to do sth.)

❶明天几点到?
八点来得及来不及?
❷飞机十点起飞，你吃完早饭再走也来得及。

理发 lǐfà *v. & n.*

have a haircut; haircut

❶他喜欢去那儿理发。
❷你知道附近哪儿有理发店吗?

厉害 lìhai *adj.*

severe, awesome

❶你怎么咳嗽得越来越厉害了? 吃药了吗?
❷她打网球很厉害。

凉快 liángkuai *adj.*

cool

❶走在海边，感觉很凉快。
❷最近天气越来越凉快，树上的叶子也都慢慢变黄了。

母亲 mǔqin *n.*

mother

❶妈妈，祝您母亲节快乐!
❷她母亲激动得哭了。

中频

耐心 nàixīn *n. & adj.*

patience; patient

❶ 这个事情比较繁琐，需要耐心。

❷ 只教一次是不可能让他马上就记住的，应该耐心地一遍一遍地教给他。

散步 sànbù *v.*

take a walk

❶ 晚饭后，一家人一起出去散散步，是一件很幸福的事情。

❷ 散步是生活中最简单易行的锻炼方法。

随便 suíbiàn *adj. & v.*

casual; do as one pleases

❶ 去面试的时候衣服要穿得正式一些，不能太随便。

❷ 说出去的话很难收回。因此，生气时不要随便说话。

所有 suǒyǒu *adj.*

all

❶ 所有的习惯都是慢慢养成的。

❷ 这个消息让所有人都大吃一惊。

提供 tígōng *v.*

provide

❶ 这椅子是专为老年人提供的。

❷ 超市提供免费塑料袋。

推迟 tuīchí *v.*

delay

❶ 大家都同意把招聘会推迟到五月十二号。

❷ 我的航班推迟了，我大概要下午三点才能到北京。

网球 wǎngqiú *n.*

tennis

❶ 他想参加网球比赛。
❷ 今天阳光这么好，我们一起去打网球吧。

网站 wǎngzhàn *n.*

website

❶ 现在，做一个网站变得越来越容易了。不仅许多公司有网站，而且很多人都有自己的网站。
❷ 人们可以在任何时间去网站上购买自己喜欢的东西。

辛苦 xīnkǔ *adj.*

hard, exhausting

❶ 妻子当上经理后，工作比以前更辛苦了。
❷ 学跳舞是一件很辛苦的事。

兴奋 xīngfèn *adj.*

excited

❶ 红色会让人变得热情，使人兴奋。
❷ 哥哥兴奋得睡不着觉。

勇敢 yǒnggǎn *adj.*

brave

❶ "冬天到了，春天还会远吗？"这句话很浪漫，代表了一种积极、勇敢的精神。
❷ 只要勇敢地向前走，就能看到希望。

友谊 yǒuyì *n.*

friendship

❶ 为我们的友谊干杯。
❷ 中国人常说："友谊第一，比赛第二。"

有趣　yǒuqù　*adj.*

❶ 那个导游讲的笑话都很有趣。 interesting
❷ 她很活泼，说话很有趣，总能给我们带来快乐，我们都很喜欢和她在一起。

阅读　yuèdú　*n. & v.*

❶ 阅读能力强的人不但容易找到工作，而且工资也比较高。 reading; read
❷ 医生提醒人们，在使用感冒药之前，一定要仔细阅读说明书。

整理　zhěnglǐ　*v.*

❶ 那个房间又脏又乱，星期六我去打扫、整理了一下。 tidy up, arrange
❷ 儿子的复习笔记整理得很详细。

周围　zhōuwéi　*n.*

❶ 我觉得要重视平时的积累，要多向周围的人学习。 around, surroundings
❷ 我以前住的地方，虽然交通方便，但是周围很吵。

仔细　zǐxì　*adj.*

❶ 在使用感冒药之前，一定要仔细阅读说明书。 careful
❷ 不管做什么事情，都应该认真、仔细，不能马虎。

安排　ānpái　*v. & n.*

❶ 我会再安排两个人帮助你。 arrange; arrangement

❷晚上有什么安排吗？

安全 ānquán *n. & adj.* safety; safe

❶参观过程中请大家注意安全。
❷飞机被认为是最安全的交通工具。

按照 ànzhào *prep.* according to

❶按照经验，人们往往认为夏天应该多穿白色衣服。
❷生活往往不会按照我们的计划来进行。

保护 bǎohù *n. & v.* protection; protect

❶森林对环境有很好的保护作用。
❷夏季要特别注意保护皮肤。

中频

本来 běnlái *adv.* originally, at first

❶我本来想昨天晚上就通知你的。
❷"80后作家"本来是指1980-1989年出生的年轻作者。

标准 biāozhǔn *n.* standard

❶这个标准并不适合每一个人。
❷普通话以北京语音为标准音。

表扬 biǎoyáng *v.* praise, commend

❶对那些害羞的孩子要经常鼓励他们说出自己的看法，当他们这样做了以后，要表扬他们。
❷获得表扬时，别太骄傲得意。

吃惊 chījīng *adj.*

shocked, surprised

❶ 她听了以后很吃惊。
❷ 回家以后，我吃惊地发现，竟然没有买袜子。

出差 chūchāi *v.*

go on a business trip

❶ 我今天去北京出差。
❷ 他去国外出差了，月底才能回来。

传真 chuánzhēn *v. & n.*

fax

❶ 小刘，帮我把这两页材料传真给李记者。
❷ 你们公司的传真号码是多少？

窗户 chuānghu *n.*

window

❶ 你好，我想要一个窗户旁边的座位，还有吗？
❷ 窗户向南的房子比较受欢迎。

从来 cónglái *adv.*

always, at all times

❶ 他从来不主动和别人说话。
❷ 我从来没学过游泳，怎么去比赛啊？

打印 dǎyìn *v.*

print

❶ 我去打印几份材料，上课讨论的时候要用。
❷ 请把那张表格打印两份。

大约 dàyue *adv.*

about, approximately

❶ 他乘坐的航班大约半小时后就要起飞了。

❷ 这次招聘会提供大约 1000 个工作机会。

当时 dāngshí *n.*

that time, then

❶ 看电影在当时确实是个新鲜事儿。

❷ 当时，他学的是新闻，我学的是法律。

到底 dàodǐ *adv.*

on earth

❶ 我真的受不了你了，你到底还要逛多久？

❷ 这件事到底该怎么办？

儿童 értóng *n.*

children

❶ 1.2 米以下的儿童免费乘车。

❷ 六到八岁的儿童普遍好动，坐不住。

翻译 fānyì *v. & n.*

translate; translator

❶ 这个句子翻译得不对。

❷ 昨天我在报纸上看见一家杂志社在招聘高级翻译。

关键 guānjiàn *n.*

key, crucial point

❶ 这才是解决问题的关键。

❷ 赚钱多少不是最重要的，兴趣才是关键。

航班 hángbān *n.*

flight

❶ 国际航班都推迟起飞了，咱可以再逛逛。
❷ 您乘坐的航班马上就要起飞了。

护士 hùshi *n.*

nurse

❶ 这本小说的作者是医院的一位护士。
❷ 王护士经验丰富。

技术 jìshù *n.*

technology, skill

❶ 随着科学技术的发展，很多问题已经得到解决。
❷ 对面那条街上新开了一家理发店，听说那儿的理发师技术还不错。

继续 jìxù *v.*

continue, go on

❶ 人不能总是活在回忆里，因为过去的已经不可能改变了，但我们的生活仍然要继续。
❷ 他愿意继续租邻居的房子。

可惜 kěxī *adj.*

regrettable

❶ 你没有和我一起去看真是太可惜了。
❷ 只差一点儿就赢了，真替他感到可惜。

困 kùn *adj.*

sleepy

❶ 昨晚没睡好，现在有点儿困了。
❷ 你困了就先去睡一会儿吧，等比赛开始了，我再叫你起来。

懒 lǎn *adj.*

lazy

❶都九点了，你怎么还在睡懒觉？快起床吧。

❷有些人很懒，直接拿自己的生日做银行卡或信用卡的密码。

冷静 lěngjìng *adj.*

calm

❶你现在要做的是冷静下来，想想办法。

❷有时候冷静甚至比勇敢更重要。

礼貌 lǐmào *n. & adj.*

courtesy; polite

❶他的优点是有礼貌，诚实，能吃苦。

❷上课时吃东西对老师是极其不礼貌的。

另外 lìngwài *conj. & pron.*

in addition; other

❶那本词典是新出的，收的词语更丰富。另外，它还有语法解释，所以贵一些。

❷一定的原因会引起一定的结果，有时候一件事情的结果可能又是另外一件事情的原因。

乱 luàn *adj.*

messy, disorderly

❶那个房间又脏又乱，星期六我去打扫了一下。

❷请不要乱扔垃圾。

密码 mìmǎ *n.*

password

❶每个现代人头脑中都要记住

很多密码。

❷人脑不是电脑，所以密码不能太复杂，不过也不能太简单，否则不安全。

目的 mùdì *n.*

purpose, aim, goal

❶每一个香烟盒上都印有“吸烟有害健康”的句子，目的就是告诉人们抽烟对身体不好。

❷举办这次研讨会的目的之一，是给大家提供一次交流、学习的机会。

暖和 nuǎnhuo *adj.*

warm

❶天气已经开始暖和起来。

❷吃热饺子让人感觉很暖和，很舒服。

巧克力 qiǎokèlì *n.*

chocolate

❶有人说，生活是一块巧克力，甜中带些苦。

❷饿了吧？来块儿巧克力怎么样？

日记 rìjì *n.*

diary, journal

❶她每天都坚持写日记。

❷我从小就养成了写日记的习惯。

社会 shèhuì *n.*

society

❶社会的发展不能光看经济的增长，还要重视环境的保护。

❷现代社会，人们最爱听的是成功故事。

失望 shīwàng *adj.*

diappointed

❶比赛输了，他们很失望。

❷事情没办成，我让她很失望。

实际 shíjì *adj.*

actual, in fact

❶这个大教室实际上能坐四百人。
❷要判断当地的实际经济情况，还应多方面调查。

数量 shùliàng *n.*

amount, quantity

❶这个城市决定增加出租车的数量。
❷考生的数量比去年增长了五倍。

顺便 shùnbiàn *adv.*

conveniently, in passing

❶吃完饭我们去公园散散步吧，我顺便买一份儿报纸。
❷小李，你把这份材料复印之后发给大家，顺便通知大家今天晚上要加班。

塑料袋 sùliàodài *n.*

plastic bag

❶超市提供免费塑料袋。
❷限制使用塑料袋是为了减少污染。

香 xiāng *adj.*

sweet-smelling, aromatic

❶这些花儿闻起来很香。
❷妈，你做的什么菜？好香啊！我尝尝。

印象 yìnxiàng *n.*

impression

❶第一印象是指在第一次见面时给别人留下的印象。

❷经理对我印象不错，他要我明天就正式去上班。

由 yóu *prep.*

❶小林，这次的招聘是由你负责吧？ by

❷我们过什么样的生活是由我们的态度决定的。

著名 zhùmíng *adj.*

❶这本杂志介绍了中国很多著名的景点。 famous

❷这本书的作者是位著名的历史教授。

赚 zhuàn *v.*

❶一个年轻人问富人怎么才能赚更多的钱。 earn

❷如果想赚钱，就必须扩大市场，而广告是最有效的方法。

中频

低频词汇

报名 bàomíng *v.*

- 报名人数已经超过了900。 register, sign up

博士 bóshì *n.*

- 你们学校的硕士和博士研究生一共有多少人？ doctor

参观 cānguān *v.*

- 这个周六学院组织大家去参观长城。 visit, look around

出生 chūshēng *v.*

- 女儿出生以后，我才知道做妈妈有多么不容易。 be born

粗心 cūxīn *adj.*

- 他改变了许多，不再像以前那么粗心了。 careless

堵车 dǔchē *v.*

- 还是坐地铁吧，这会儿路上恐怕会堵车。 be in a traffic jam

感谢 gǎnxiè *v.*

- 非常感谢大家对我的支持！ thank

公里 gōnglǐ *m.w.*

- 中国南北距离约 5500 公里，因此南北气候有很大区别。 kilometer

厚 hòu *adj.*

- 在暖和而湿润的地方，叶子往往长得又宽又厚。 thick

难受 nánshòu *adj.*

- 他觉得肚子有点儿难受。 sick, uncomfortable

骗 piàn *v.*

- 真的假的？你是在开玩笑骗我吧？ cheat

深 shēn *adj.*

- 第一印象往往是最深的，而且很难改变。 deep

酸 suān *adj.*

- 生活的味道是酸、甜、苦、辣、咸的。 sour

条件 tiáojiàn *n.*

- 经常换工作不一定好，根据自己的条件，把一份工作坚持做到最好才是正确的选择。 condition

危险 wēixiǎn *adj.*

- 在加油站或者离加油站很近 dangerous

的地方抽烟，打手机，是很危险的。

呀 ya *part.*

(used after a vowel to express surprise or doubt)

● 你在干什么呀？要我帮忙吗？

也许 yěxǔ *adv.*

maybe

● 别人的方法也许很有效，但是并不一定适合所有人。

叶子 yèzi *n.*

leaf

● 由于气候条件不同，世界各地植物叶子的样子也很不相同。

优秀 yōuxiù *adj.*

outstanding, excellent

● 当我们认为自己在哪方面很优秀时，不要骄傲。

责任 zérèn *n.*

responsibility

● 保护地球是每个人的责任。

重点 zhòngdiǎn *n.*

emphasis

● 复习要注意方法，要复习重点内容。

准时 zhǔnshí *adv.*

on time

● 面试时必须准时到。

作者 zuòzhě *n.*

author, writer

● 那本小说的作者很有名。

擦 cā *v.*

- 服务员把家具擦得很干净。 wipe

长城 Chángchéng *n.*

- 有人说没去过长城就不算去过北京。 Great Wall

成为 chéngwéi *v.*

- 访问各种各样的网站已经成为人们生活的一部分。 become

重新 chóngxīn *adv.*

- 请您重新填写一下。 again; once more

打扮 dǎban *v.*

- 你今天打扮得真漂亮，有约会啊？ dress/make up

打针 dǎzhēn *v.*

- 打针比吃药效果好。 have an injection

大使馆 dàshǐguǎn *n.*

- 我现在去大使馆办签证。 embassy

道歉 dàoqiàn *v.*

- 我是专门来向您道歉的，我真的觉得很对不起您。 apologize

负责 fùzé *v.*

be in charge of

● 这次还是由她来负责安排吧。

共同 gòngtóng *adj.*

common

● 地球是我们共同的家。

回忆 huíyì *v.*

recall

● 老人总是喜欢往回看，回忆、总结自己过去的经历。

交 jiāo *v.*

deliver, hand in

● 小姐，这是我的报名表，是交给您吗？

竟然 jìngrán *adv.*

unexpectedly, to one's surprise

● 明天就要去使馆办签证了，邀请信竟然还没寄到。

低频

热闹 rènao *adj.*

bustling with noise and excitement, lively

● 他喜欢去热闹的地方，和别人一起唱歌，跳舞。

仍然 réngrán *adv.*

still

● 一个70岁还有梦的老人仍然年轻。

商量 shāngliang *v.*

consult, discuss

● 我们正商量着下个周末

请家里人一起吃个饭呢。

甚至 shènzhì *adv.*

● 现在火车的速度非常快，有时坐火车甚至比坐飞机更节约时间。 even

生命 shēngmìng *n.*

● 友谊是我们生命中不可缺少的一部分。 life

实在 shízài *adv.*

● 减了一个月都没有瘦下来，我实在没有信心了。 indeed, really

收拾 shōushi *v.*

● 她每天都要收拾房间。 put in order, tidy up

数字 shùzì *n.*

numeral, number, figure, amount

● 请按从小到大的顺序排列这些数字。

谈 tán *v.*

● 今天的会议开得很好，大家都谈了自己的意见和看法。 talk

弹钢琴 tán gāngqín

● 她很羡慕会弹钢琴的人。 play the piano

讨厌 tǎoyàn *v.*

● 一个脾气不好的人虽然不一定 hate

让人讨厌，但是却很难跟人交朋友。

袜子 wàzi *n.*

● 昨天，女儿让我陪她去买一双袜子。 sock

相同 xiāngtóng *adj.*

● 做生意时会遇到竞争带来的压力，但是大家的机会也是相同的。 same

严重 yánzhòng *adj.*

● 那位病人的情况严重吗？ serious, severe

页 yè *m.w.*

● 这本书一共有多少页？ page

永远 yǒngyuǎn *adv.*

● 获得表扬时，别太骄傲得意，一次成功不代表永远成功。 forever

羽毛球 yǔmáoqiú *n.*

● 打了一下午羽毛球，肚子有点儿饿了。 badminton

原谅 yuánliàng *v.*

● 得到别人的原谅很容易，但要重新获得信任却很难。 forgive

暂时 zànshí *adv.*

● 实在对不起，那个房子暂时不租了。 temporarily

保证 bǎozhèng *v.*

● 我保证你一次就能学会。 guarantee, ensure

不管 bùguǎn *conj.*

● 如果方法错了，不管你怎么努力，也很难取得成功。 no matter (what, how)

尝 cháng *v.*

● 你尝一尝，味道很好。 taste

超过 chāoguò *v.*

● 室内与室外温度差不要超过 7℃。 surpass, exceed

打扰 dǎrǎo *v.*

● 打扰一下，请问您是李老师吗？ disturb

得意 déyì *adj.*

● 获得表扬时，别太骄傲得意。 be complacent

等 děng *part.*

● 想要密码安全，最好不要用手机号码、生日等。 and so on

地球 dìqiú *n.*

● 保护地球是每个人的责任。 earth

地址 dìzhǐ *n.*

● 我帮你上网查一下，网站上应该提供地址和联系电话。 address

否则 fǒuzé *conj.*

● 要想减肥成功，一定要坚持，不能怕累，否则很难有效果。 if not, otherwise

富 fù *adj.*

● 有位身价千万的富人来到一家宾馆，要求住最便宜的房间。 rich

工资 gōngzī *n.*

● 她开始学着管理自己的工资，把每天花的钱都记下来。 salary, wage

广播 guǎngbō *n.*

● 刚才听广播说由于天气原因，我们的航班推迟了。 broadcast

盒子 hézi *n.*

● 让服务员拿几个盒子来，我们把剩菜带回去吧。 box, case

活泼 huópō *adj.*

● 我弟弟的性格比较活泼。 lively, vivid

节 jié *n.*

● 今天是父亲节，你不会忘了吧？快去买礼物吧。 festival

竞争 jìngzhēng *n.*

● 鼓励竞争能推动经济发展。 competition

镜子 jìngzi *n.*

● 她正在对着镜子打扮。 mirror

举办 jǔbàn *v.*

● 在节假日，我们经常会看到商场举办打折、降价的活动。 hold

浪费 làngfèi *v.*

● 无论是浪费水、电，还是浪费食品、时间，都是不对的。 waste

律师 lǜshī *n.*

● 他以后想成为一名律师。 lawyer

亲戚 qīnqi *n.*

● 我们准备请亲戚朋友们到家里来吃顿饭。 relative

售货员 shòuhuòyuán *n.*

● 这是一个关于顾客和售货员的笑话。 shop assistant

汤 tāng *n.*

● 做西红柿鸡蛋汤很简单。 soup

同情 tóngqíng *n.*

compassion, sympathy

- 同情是最美好的情感之一。

羡慕 xiànmù *v.*

admire

- 朋友们都很羡慕我找了一个好丈夫。

亚洲 Yàzhōu *n.*

Asia

- 这本书介绍了亚洲很多国家的著名景点。

严格 yángé *adj.*

strict

- 有的父母对孩子的要求很严格。

样子 yàngzi *n.*

appearance, shape

- 这个包样子很好看，价格也还可以。

由于 yóuyú *prep.*

due to, because of

- 由于天气原因，我们的航班推迟了。

友好 yǒuhǎo *n.*

friendship, goodwill

- 握手是一种礼貌，表示友好。

原来 yuánlái *adj.*

original

- 他们不得不改变原来的计划。

正确 zhèngquè *adj.*

- 正确的减肥方法是按时吃饭，增加运动量。 correct

正式 zhèngshì *adj.*

- 去面试的时候衣服要穿得正式一些，不能太随便。 formal

证明 zhèngmíng *v.*

- 科学研究证明，颜色会影响人的心情，不同的颜色会给人带来不同的感情变化。 prove, testify

部分 bùfen *n.*

- 我们把“海”“江”“河”这些字左边的部分叫做“三点水”。 part, section

乘坐 chéngzuò *v.*

- 您乘坐的航班马上就要起飞了。 ride (in a vehicle)

动作 dòngzuò *n.*

- 你动作快一点儿，来不及了。 action

反对 fǎnduì *v.*

- 我以为我妹妹会反对我读博士。 oppose, resist

符合 fúhé *v.*

- 这么做完全符合 be in accordance with

国家的法律规定。

怀疑 huáiyí *v.* doubt

- 不要怀疑自己的能力。

尽管 jǐnguǎn *conj.* even though

- 三岁的女儿尽管很害怕打针，不过她没有哭。

禁止 jìnzhǐ *v.* prohibit, forbid

- 加油站附近禁止打电话。

垃圾桶 lājītǒng *n.* dustbin

- 你帮我把这袋垃圾扔楼下垃圾桶里。

美丽 měilì *adj.* beautiful

- 孩子眼中的世界是美丽而奇特的。

判断 pànduàn *v.* judge, determine

- 看一个人怎么说话，往往可以比较准确地判断出他是一个什么样的人。

千万 qiānwàn *adv.* must

- 明天的面试很重要，你千万不要迟到。

区别 qūbié *n.*

● 你觉得北方和南方在气候上有什么区别？ difference, distinction

然而 rán'ér *conj.*

● 海洋底部看起来非常安静，然而却不是一点儿声音也没有。 however

入口 rùkǒu *n.*

● 这儿是出口，请您从入口进。 entrance

稍微 shāowēi *adv.*

● 今天是她第一次和男孩子约会，稍微有些紧张。 a little bit

剩 shèng *v.*

● 油箱里剩的油不多了，看看哪儿有加油站。 remain

帅 shuài *adj.*

● 那个男孩子不但长得帅，而且性格也很好。 handsome

抬 tái *v.*

● 咱们把沙发往窗户那儿抬一下，这样看电视更舒服些。 raise, lift, carry

无论 wúlùn *conj.*

● 无论成功还是失败，努力过的人都应获得掌声。 no matter (what, how)

优点 yōudiǎn *n.*

merit, advantage

● 人应该学会认识自己。不仅要看到自己的优点，也要了解自己的缺点。

主意 zhǔyi *n.*

idea

● 售货员给小云出了一个好主意。

座 zuò *m.w.*

(measure word for buildings, mountains and similar immovable objects)

● 北京有一座山叫香山，非常有名。

表格 biǎogé *n.*

form

● 请把那张表格打印两份。

饼干 bǐnggān *n.*

biscuit, cracker, cookie

● 您可以尝一下这种饼干。

猜 cāi *v.*

guess

● 你猜我今天整理房间的时候找到什么了？

得 děi *aux.*

must, need

● 咱们还得负责打印会议材料呢。

低 dī *adj.*

low

● 夏天开空调，温度不能太低。

敢 gǎn *v.*

● 她打网球很厉害，你敢和她打吗？ dare

管理 guǎnlǐ *v.*

● 管理者在解决问题时，一定要选择最直接、最有效的方法。 manage

规定 guīdìng *n.*

● 按照商场规定，我们是不能给您换的。 rule

寒假 hánjià *n.*

● 快要放寒假了。 winter vacation

基础 jīchǔ *n.*

● 无论什么时候，美丽的基础都是健康。如果没有了健康，也就没有了美丽。 base, foundation

满 mǎn *adj.*

● 礼堂里坐满了人。 full

毛巾 máojīn *n.*

● 她不愿意用宾馆的毛巾。 towel

首先 shǒuxiān *conj.*

● 首先，记者是我最喜欢的职业，我从小就想当一名记者；其次，我大学和研究生学的都是新闻专业，符合招聘的要求。 at first

输 shū *v.*

● 比赛输了，他们很失望。 lose

顺序 shùnxù *n.*

● 请把这些报纸按照时间顺序排好。 order

一切 yíqiè *pron.*

● 祝你们这次访问一切顺利。 everything

尤其 yóuqí *adv.*

● 很多人爱吃巧克力，尤其是女性。 especially

照 zhào *v.*

● 我们在那儿照了很多照片。 take pictures

至少 zhìshǎo *adv.*

● 大部分人每天晚上至少应该睡7个小时。 at least

祝贺 zhùhè *v.*

● 今天的表演真的很精彩，祝贺你们！ congratulate

专门 zhuānmén *adv.*

● 这个公司专门生产各种各样的筷子。 specially

准确 zhǔnquè *adj.*

accurate, exact

- 对记者来说，获得及时准确的消息极其重要。

国际 guójì *n.*

international

- 国际航班都推迟起飞了，咱可以再逛逛。

既然 jìrán *conj.*

since, as

- 既然你不喜欢新闻专业，那就再考虑考虑其他专业吧。

奖金 jiǎngjīn *n.*

premium, award money, bonus

- 不要眼睛里只有工资和奖金。

咳嗽 késou *v.*

cough

- 最近我总是咳嗽，吃点儿什么药好？

力气 lìqi *n.*

strength

- 我没力气了，爬不动了。

梦 mèng *n.*

dream

- 中国人认为做梦是上天要告诉他们将来会发生的一些事情。

皮肤 pífū *n.*

skin

- 春季，皮肤容易干燥；夏季，长时间在阳光下对皮肤不好。

普遍 pǔbiàn *adj.*

- 六到八岁的儿童普遍好动，坐不住。 general, common

其中 qízhōng *n.*

- 不仅要会读书，还要会选择其中的好书来阅读。 within, in it

敲 qiāo *v.*

- 晚上，我刚刚躺下，就响起了敲门声。 knock

穷 qióng *adj.*

- 有很多富人过得并不愉快，有些穷人却过得很快乐。 poor

森林 sēnlín *n.*

- 森林对环境有很好的保护作用。 forest

硕士 shuòshì *n.*

- 她是马教授的硕士研究生。 master

随着 suízhe *prep.*

- 随着科学技术的发展，我们的世界正在越变越小。 along with, as

孙子 sūnzi *n.*

- 我孙子已经8岁了。 grandson

西红柿 xīhóngshì *n.*

● 常吃西红柿对解决一些健康问题有很大的帮助。 tomato

咸 xián *adj.*

● 今天的饺子盐放多了，有点儿咸。 salty

约会 yuēhuì *n.*

● 你今天打扮得真漂亮，有约会啊？ dating

不得不 bùdébù *aux.*

● 重感冒让他不得不请假休息。 have to, must

长江 Cháng Jiāng *n.*

● 长江是中国第一大河。 Yangtze River

答案 dá'àn *n.*

● 这道数学题的答案好像错了。 answer

复印 fùyìn *v.*

● 图书馆一楼东边有几台自助复印机。 copy, duplicate

感动 gǎndòng *v.*

● 他被那个故事感动了。 move, touch

合格 hégé *adj.*

qualified, up to standard

● 只要他这次考试的成绩都合格，就可以进入高级班学习。

加油站 jiāyóuzhàn *n.*

gas station

● 该加油了，去机场的路上有加油站吗？

骄傲 jiāo'ào *adj.*

arrogant, be proud of

● 大家都以为他是一个骄傲的人。

究竟 jiūjìng *adv.*

on earth, after all

● 其实大部分考生并不清楚表演究竟是什么。

举行 jǔxíng *v.*

hold

● 这次电影艺术节也许会在北京举行。

老虎 lǎohǔ *n.*

tiger

● 这座山很像一只老虎。

连 lián *prep.*

even

● 妻子当上经理后，工作比以前更辛苦了，经常要加班，有时忙起来，甚至连节假日也不能休息。

全部 quánbù *n.*

all, whole

● 我们的任务已经全部按计划

完成了。

受不了 shòubuliǎo

● 我真的受不了你了，你到底还要逛多久？ can't bear

台 tái *m.w.*

(measure word for machines, etc.)

● 咱家的洗衣机坏了，商场正好打折，我们顺便买一台吧。

研究 yánjiū *n.*

● 研究发现，用35度的温水刷牙才是最合适的。 research

盐 yán *n.*

● 今天的饺子盐放多了，有点儿咸。 salt

以为 yǐwéi *v.*

● 有些人喜欢不停地换工作，他们总以为新工作一定比现在的好。 suppose, think

自然 zìrán *n.*

● 太阳对大自然的影响很大。 nature

笨 bèn *adj.*

● 聪明人和笨人的最大区别是：聪明人能从失败中学到经验，笨人只是一直在想为什么自己总是一个失败者。 silly, stupid

厨房 chúfáng *n.*

kitchen

● 厨房里的这个灯太暗了。

降低 jiàngdī *v.*

reduce

● 随着现代技术的发展，笔记本电脑的价格大大降低。

空 kòng *n.*

spare time

● 有空儿你应该多回家看看爸妈。

例如 lìrú *v.*

take for example

● 幽默包括很多方面，最主要的是语言上的幽默，例如讲笑话。

流利 liúlì *adj.*

fluent

● 他的中文说得很流利。

马虎 mǎhu *adj.*

careless, sloppy

● 他的优点是有礼貌，诚实，能吃苦，就是太马虎、太粗心了，不适合我们的工作。

难道 nándào *adv.*

(used to reinforce a rhetorical question)

● 怎么又买这么多饼干和巧克力，难道你不减肥了？

乒乓球 pīngpāngqiú *n.*

table tennis

● 昨天那场乒乓球比赛你看了吗？

葡萄 pútao *n.*

● 葡萄酒是用新鲜的葡萄或者葡萄汁制造的饮料。 grape

其次 qícì *conj.*

● 首先，记者是我最喜欢的职业，我从小就想当一名记者；其次，我大学和研究生学的都是新闻专业，符合招聘的要求；第三，我有丰富的工作经验，而且做事细心，比较有责任心。 secondly

桥 qiáo *n.*

● 那座桥有 800 年的历史了。 bridge

糖 táng *n.*

● 奇怪，你忘记放糖了吗？这杯咖啡怎么这么苦？ sugar

牙膏 yágāo *n.*

● 牙膏快用完了，一会儿去超市记得买新的。 toothpaste

眼镜 yǎnjìng *n.*

● 对面戴眼镜的那个人你认识吗？ glasses

语法 yǔfǎ *n.*

● 这个句子没有语法错误。 grammar

云 yún *n.*

● 伤心的人好像一朵云，走到哪 cloud

里，哪里就阴雨不断。

正常 zhèngcháng *adj.*

● 这台电脑终于又能正常工作了。 normal, regular

出现 chūxiàn *v.*

● 每当我遇到困难的时候，他几乎都能在第一时间出现，帮助我解决问题。 appear

拉 lā *v.*

● 手机拉近了人与人之间的距离。 pull

普通话 pǔtōnghuà *n.*

● 你好，我想报名参加这个月的普通话水平考试。 Mandarin

轻 qīng *adj.*

● 我要去买一个轻一点儿的行李箱。 light

省 shěng *n.*

● 长江共流经 11 个省市。 province

趟 tàng *m.w.*

● 我这儿有一份材料，麻烦你替我跑一趟，给关教授送过去。 time

醒 xǐng *v.*

● 妹妹弹钢琴的声音把 awake, wake up

爷爷吵醒了。

于是 yúshì *conj.*

● 不少人刚开始运动时，会感觉十分无聊，于是很快就放弃了。 so, then

预习 yùxí *v.*

● 课前预习和课后复习是必不可少的。 preview lessons

允许 yǔnxǔ *v.*

● 司机喝酒后不允许开车。 allow, permit

只好 zhǐhǎo *adv.*

● 昨天是报名最后一天，我错过了，只好下次再考了。 have to

到处 dàochù *adv.*

● 北方也许还在下着雪，南方却已经到处都是绿色了。 everywhere

放暑假 fàng shǔjià

● 马上就要放暑假了，你有什么安排吗？ have a summer vacation

害羞 hàixiū *adj.*

● 其实他只是有点儿害羞。 shy

偶尔 ǒu'ěr *adv.*

● 偶尔的失败其实可以让 occasionally

我们清楚自己还有什么地方需要提高。

首都 shǒudū *n.*

● 首都体育馆今天晚上有活动。 capital

躺 tǎng *v.*

● 躺着看书对眼睛不好。 lie

无 wú *v.*

● 世界上第一部无声电影出现的时候，吸引了成千上万的观众。 not have

行 xíng *v.*

● 别人说什么不重要，自己感觉快乐就行了。 be all right

性别 xìngbié *n.*

● 关阿姨，您先填一下这张申请表，姓名、性别、年龄和电话号码都要写。 gender

以 yǐ *prep.*

● 以前的人以胖为美，现在的人以瘦为美。 take…as…

抱 bào *v.*

● 赛后他们激动地抱在了一起。 hug, embrace

地点 dìdiǎn *n.*

● 明天的集合地点改在东门了。 place, location

果汁 guǒzhī *n.*

● 你喝果汁还是咖啡？ juice

假 jiǎ *adj.*

● 真的假的？你是在开玩笑骗我吧？ fake, false

棵 kē *m.w.*

● 我家后面院子里有一棵树。 (measure word for plants)

可怜 kělián *adj.*

● 他很可怜，他妻子太懒，不做饭，不洗衣服，连孩子也不带。 pitiful, poor

世纪 shìjì *n.*

● 二十一世纪，随着现代技术的发展，笔记本电脑的价格大大降低。 century

死 sǐ *n.*

● 生、老、病、死是一个极其自然的过程。 death

响 xiǎng *v.*

● 晚上，我刚刚躺下，就响起了敲门声。 make a sound

倍 bèi *num.*

● 考生的数量比去年增长了五倍。 time, fold

词语 cíyǔ *n.*

● 遇到不认识的词语，我会马上查词典。 words and expressions

短信 duǎnxìn *n.*

● 发短信很麻烦。 text, message

对话 duìhuà *n.*

● 要学会用感情和观众进行对话与交流。 conversation

干杯 gānbēi *v.*

● 为我们的友谊干杯。 cheers

干 gàn *v.*

● 我打算毕业以后先在叔叔开的公司里干一段时间。 do

故意 gùyì *adv.*

● 抱歉！我不是故意的，我没注意到。 on purpose

旅行 lǚxíng *v.*

● 我姐姐是大学老师，每个寒暑假她都会出去旅行。 travel

脱 tuō *v.*

- 衣服脏了，脱下来洗洗吧。 take off

百分之 bǎi fēn zhī *prep.*

- 超过百分之九十的人表示愿意参加环保活动。 percentage

错误 cuòwù *n.*

- 这个句子没有语法错误。 mistake, error

排列 páiliè *v.*

- 请按从小到大的顺序排列这些数字。 arrange, put in order

填空 tiánkòng *v.*

- 填空题 fill in the blank

对于 duìyú *prep.*

- 对于这个消息，女的觉得怎么样？ for, with regard to

自信 zìxìn *n.*

- 你要有自信。 confidence

棒 bàng *adj.*

- 你的汉语说得真棒。 great, excellent

包子 bāozi *n.*

- 他每天早上都吃包子。 steamed stuffed bun

比如 bǐrú *v.*

take for example

● 我去过很多地方，
比如上海、北京、广州。

餐厅 cāntīng *n.*

restaurant

● 你来过这家餐厅吃饭吗？

厕所 cèsuǒ *n.*

washroom

● 请问厕所在哪儿？

存 cún *v.*

save, deposit

● 我在银行存钱。

打招呼 dǎ zhāohu

say hello

● 你跟她打招呼了吗？

零频词汇

刀 dāo *n.*

knife

❶我买了一把很锋利的刀。
❷这把刀是新买的。

倒 dào *adj.*

up side down

❶这幅画挂倒了。
❷她的书拿倒了。

登机牌 dēngjīpái *n.*

boarding pass

❶请保管好你的登机牌。
❷你拿到登记牌了吗？

房东 fángdōng *n.*

landlord, landlady

❶房东是一个很好的人。
❷这是我的房东。

放松 fàngsōng *v.*

relax

❶周末你应该好好放松一下。
❷我想好好放松一下。

付款 fùkuǎn *v.*

pay

❶您可以用现金付款吗?
❷让我来付款吧。

赶 gǎn *v.*

rush for

❶他赶着去上学。

❷她赶着去坐车。

高速公路 gāosù gōnglù *n.*

expressway

❶高速公路上有很多车。
❷这是新建的高速公路。

胳膊 gēbo *n.*

arm

❶她的胳膊很长。
❷我的胳膊没有她的长。

功夫 gōngfu *n.*

Chinese martial arts

❶我很喜欢中国功夫。
❷你会中国功夫吗?

国籍 guójí *n.*

nationality

❶你是什么国籍?
❷我的国籍是美国。

互联网 hùliánwǎng *n.*

Internet

❶互联网已经成为人们生活中的一个重要部分。
❷互联网越来越重要了。

火 huǒ *n.*

fire

❶不要玩火,很危险。
❷火越来越大了。

建议 jiànyì *v.*

suggest

❶我建议你今天不要出去,可能会下大雨。

❷我建议你带雨伞出去。

降落 jiàngluò *v.*

land, descend

❶飞机安全降落在机场上。
❷飞机正在降落。

郊区 jiāoqū *n.*

suburbs

❶我爸爸妈妈住在郊区。
❷郊区的景色很美丽。

接着 jiēzhe *adv.*

after that

❶我回到家先吃饭，接着看电视。
❷这本书，你看完了我接着看。

景色 jǐngsè *n.*

view, landscape

❶这里的景色太美了！
❷你喜欢这里的景色吗？

举 jǔ *v.*

hold up

❶回答问题前要先举手。
❷请举起你们的右手。

聚会 jùhuì *n.*

get-together, party

❶很高兴你们来参加这次聚会。
❷你能参加这次聚会吗？

开心 kāixīn *adj.*

happy

❶大家今天玩得很开心。
❷你为什么这么开心呢？

烤鸭 kǎoyā *n.*

roast duck

❶ 你吃过北京烤鸭吗？
❷ 北京烤鸭很有名。

客厅 kètīng *n.*

living room

❶ 爸爸和妈妈在客厅聊天。
❷ 她家的客厅很大。

矿泉水 kuàngquánshuǐ *n.*

mineral water

❶ 她喜欢喝矿泉水。
❷ 这是我的矿泉水。

来自 láizì *v.*

come from

❶ 我来自中国。
❷ 你来自哪里？

礼拜天 lǐbàitiān *n.*

Sunday

❶ 礼拜天你要去哪里？
❷ 我礼拜天去公园。

零钱 língqián *n.*

small change

❶ 我没有带零钱。
❷ 你有零钱吗？

毛 máo *n.*

feather

❶ 那只小鸟的毛是绿色的。
❷ 小鸟的毛很短。

迷路 mílù *v.*

get lost

❶ 昨天我迷路了。

❷ 我在森林里迷路了。

秒 miǎo *m.w.*

second

❶ 现在是 11 点 40 分 15 秒。
❷ 这次赛跑他用了 45 秒。

排队 páiduì *v.*

queue up

❶ 我在排队买东西。
❷ 我每天都得排队等公共汽车。

勺子 sháozi *n.*

spoon

❶ 这个勺子很大。
❷ 他不会用勺子。

是否 shìfǒu *adv.*

weather

❶ 你明天是否会来我家?
❷ 我不知道是否应该接受她的礼物。

提 tí *v.*

carry in one's hand

❶ 她手里提着很多水果。
❷ 她提着箱子走了进去。

同时 tóngshí *n.*

same time

❶ 我不能同时做两件事。
❷ 我们是同时回到家的。

推 tuī *v.*

push

❶ 他推开了门。
❷ 他把我从房间里推了出来。

卫生间 wèishēngjiān *n.*

restroom

❶请问卫生间在哪儿?
❷不好意思，我去一下卫生间。

现金 xiànjīn *n.*

cash

❶请问您是用现金付款还是刷卡?
❷她身上有很多现金。

橡皮 xiàngpí *n.*

eraser, rubber

❶我新买了一个橡皮。
❷这个橡皮是你的吗?

小吃 xiǎochī *n.*

snacks

❶这里有很多小吃，很好吃。
❷你吃过北京的小吃吗？

小伙子 xiǎohuǒzi *n.*

lad, young fellow

❶这个小伙子长得很高。
❷小伙子，你真棒!

信封 xìnfēng *n.*

envelope

❶你能帮我买一个信封吗?
❷这个信封真漂亮。

信息 xìnxī *n.*

information, message

❶你收到我发给你的信息了吗?
❷他给我发了信息。

修理 xiūlǐ *v.*

fix, mend

❶ 小李帮我把自行车修理好了。
❷ 这双鞋需要修理。

学期 xuéqī *n.*

school term

❶ 新的学期又开始了。
❷ 这个学期我要好好学习。

要是 yàoshi *conj.*

if, in case

❶ 要是我有时间就可以和你一起吃饭。
❷ 要是我有很多钱，我就买新房子。

应聘 yìngpìn *v.*

apply (for a job offer)

❶ 她来应聘英语老师。
❷ 你是来应聘的吗？

邮局 yóujú *n.*

post office

❶ 请问邮局在哪儿？
❷ 小林去邮局寄信了。

占线 zhànxiàn *v.*

(of a telephone line) be busy

❶ 她的电话一直占线。
❷ 我给她拨了电话，但占线。

重 zhòng *adj.*

heavy

❶ 这个箱子很重。
❷ 这张桌子很重。

转 zhuǎn *v.*

turn

❶她转过头来对我笑了。
❷请把头转过来。

左右 zuǒyòu *n.*

around, about

❶他年龄在30岁左右。
❷我十点左右回到家。

作家 zuòjiā *n.*

writer

❶这个作家很有名。
❷我很喜欢这个作家。

策　　划：HSK 全球策划大队
责任编辑：杨　晗
英文编辑：甄心悦

图书在版编目（CIP）数据

HSK分频词汇·4级 ：汉英对照 / 杨莹主编. — 北京 ：华语教学出版社，2016
ISBN 978-7-5138-1009-8

Ⅰ. ①H… Ⅱ. ①杨… Ⅲ. ①汉语－词汇－对外汉语教学－水平考试－自学参考资料 Ⅳ. ①H195.4

中国版本图书馆 CIP 数据核字 (2015) 第 223718 号

HSK 分频词汇 · 4 级

杨莹 主编

*

华语教学出版社有限责任公司出版
（中国北京百万庄大街 24 号　邮政编码 100037）
电话：(86)10-68320585　68997826
传真：(86)10-68997826　68326333
网址：www.sinolingua.com.cn
电子信箱：hyjx@sinolingua.com.cn
新浪微博地址：http://weibo.com/sinolinguavip
北京京华虎彩印刷有限公司印刷
2016 年（32 开）第 1 版
2016 年第 1 版第 2 次印刷
（汉英）
ISBN 978-7-5138-1009-8
定价：29.00 元